KHYBER SAW

Rhyfel Sam

Glenys Lloyd

Argraffiad cyntaf – 2001
Ail argraffiad – 2001

ISBN 1 85902 883 7

Dymuna'r cyhoeddwyr gydnabod cymorth
Adrannau Cyngor Llyfrau Cymru.

Argraffwyd gan
Wasg Gomer, Llandysul, Ceredigion SA44 4QL

I Cari, Dafydd, Eurgain,
Siôn Emlyn a Sam

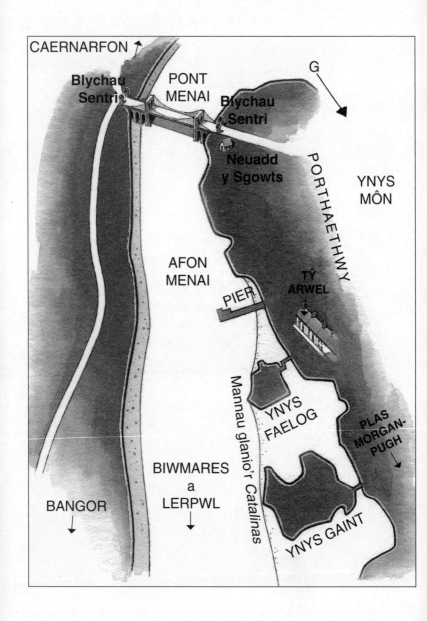

Pennod 1

Roedd y bomiau'n sgrechian o gwmpas Sam. Sgrialodd i'r tŷ a'i hyrddio'i hun i'r twll-dan-grisiau.

"Adi! Adi!" bloeddiodd. Lle roedd ei chwaer? Rhuai'r seiren dros y ddinas fel rhyw ysbryd gwallgof. "Adi!" Lle roedd hi, tybed? Yn y cwt-allan eto, yn chwarae tŷ-dol efo teganau a mat rhacs?

Rhuthrodd Sam o'i guddfan i chwilio amdani, gan deimlo'n euog wrth gofio geiriau ei fam ben bore. Llamodd i'r iard gefn trwy'r fflachiadau byddarol, a'i galon yn curo'n gyflym.

Doedd dim golwg o Adeline ymysg y doliau a'r hen sosbenni a'r llestri, dim ond heulwen Mai yn poethi'r concrit o gwmpas y cwt.

"Adi!" llefodd Sam yn groch. "Tyrd i'r tŷ y funud 'ma!" Roedd y giât yn llydan agored. "Adi!" Llamodd i'r llwybr cefn y tu ôl i'r rhes o dai.

Yn sydyn, gwibiodd bom enfawr heibio

fel morfil yn sgleinio'n ddu yn erbyn yr awyr. Ffrwydrodd yn y stryd nesaf.

"Nefi wen!" poerodd Sam y geiriau i'r llwch ar y llawr.

Plymiodd ar ei fol fel y dysgodd ei dad iddo wneud. Bom, yn chwislo heibio ei drwyn! Mor agos â hynny!

Adi! Gwrthodai'r enw adael ei geg.

Cododd Sam o'r llawr gan simsanu braidd. Saethodd ergydion o fraw trwyddo fel bwledi. Dechreuodd ei ddannedd rincian. Rhewodd ei wddf. Cronnodd perlau o chwys ar ei dalcen a'i wefus—chwys ofn, chwys brawd oedd wedi colli ei chwaer, chwys mab oedd wedi torri ei addewid i'w fam ac a oedd wedi torri ei air i'w dad hefyd, y tro diwethaf i hwnnw adael cartref i fynd ar ei sybmarîn i lawr ar y cei.

"Gofala di am dy chwaer, 'ngwas i," oedd geiriau ei dad ar y pryd, "a chofia helpu dy fam. A chofiwch chi gau eich cegau, pob wàn jac ohonoch chi. Dim sôn am y sybmarîn wrth *neb*, a dim sôn am ble dwi'n mynd ynddi chwaith. *Top secret.* Hwyl fawr!"

"Gofiwn ni hynny, cariad," oedd geiriau olaf Mam wrth iddo ymadael. "*Careless talk costs lives.*"

Ac i ffwrdd â Dad trwy'r giât i'r ali, a phawb yn crio ar ei ôl yn yr union fan lle safai Sam yn awr.

"Adi, y dwpsen, tyrd yma!" bloeddiodd i fyny ac i lawr y llwybr cefn.

Unrhyw funud disgwyliai weld haid o fomiau fel morfilod yn pistyllio arno o'r awyr. Clec, clec, clec! Dawnsiai'r biniau-sbwriel metel i rythm y ffrwydron. Sgrialodd y cathod a'r cŵn i'r cysgodion, i'w ffeuau budron o dan y rwbel a'r chwyn.

Yn Victoria Terrace dim ond hanner y tai oedd ar ôl bellach, a'r bobl wedi hen ddianc o'r chwalfa i'r wlad at eu perthnasau a'u ffrindiau. Dim ond teuluoedd fel un Sam yn Rhif 4 a arhosai yn eu cartrefi yng nghanol y dinistr. Roedd arnyn nhw ofn mynd—ac ofn aros.

Bellach, fis Mai 1941, roedd hi'n beryg bywyd yn Lerpwl.

Daeth llefain sinistr y bomiau yn nes ac yn nes, i lawr ac i lawr o'r awyrennau uwchben. Dallwyd Sam bron gan ddisgleirdeb yr haul a'r ffrwydradau. Yn y nos y bydden nhw'n dod fel arfer. Pam rŵan, meddyliodd, a Mam yn y siop ac Adi'n crwydro? Codai'r panig yn ei fol fel chwydfa o dreip-stumog-buwch, casbeth Sam i swper. Teimlai fel petai wedi drysu'n llwyr. Lle nesaf? Y cwt glo? Y siop sglodion? Brysiodd yn ôl at y tŷ.

10

Yna gwelodd wyneb ei chwaer yn
ffenestr y gegin, yn gwgu arno.

"Adi, y gnawes fach! Lle ti 'di bod?"
gwaeddodd arni. I mewn â fo, cicio'r drws
cefn ynghau y tu ôl iddo, cydio ynddi,
taflu'r ddau ohonynt yn bendramwnwgl i'r
twll-dan-grisiau a gadael cil y drws yn
agored, rhag ofn. Rhag ofn beth? Ni
wyddai Sam, ond dychmygai Hitler a'i

11

fwstás bach du yn eu chwipio'n gignoeth ill dau. Dychmygai daro'n ôl wedyn efo'r brwsh llawr a thawelu'r teyrn drwg unwaith ac am byth.

Crynai'r ddau blentyn mewn braw ymysg y welingtons a'r geriach, fel petaen nhw mewn iglw ac ar fin cael eu llarpio i farwolaeth gan arth ffyrnicaf yr Arctig.

"O," gwichiodd llais bach Adeline yn ei ymyl, "dwi ddim yn licio'r hen le tywyll 'ma, yn llawn o bryfed cop." Tisiodd. "A llwch, tissshw!"

"Ti'n deud hynny bob tro, 'rhen fabi. Lle buest ti?" gwaeddodd Sam yn ei chlust. "Aw, aw!" cwynodd wedyn wrth iddo daro'i ben o dan y grisiau. Clywai sŵn udo cas yr awyrennau a bwm-bwm y bomiau'n taro'r tir.

"Dwi'm yn deud," atebodd Adeline wrth wasgu'i thrwyn yn biwis. "*Top secret. Careless talk costs lives*. Felly cau dy geg, 'nei di?"

Yn y tywyllwch gwnaeth Sam wyneb hyll ar ei chwaer, ac am a wyddai ef gwnaeth hithau yr un fath arno yntau. Y funud nesaf talodd y pwyth yn ôl iddi.

"Swatia i lawr! Brysia!" Gwthiodd Sam hi i'r fasged smwddio a'i dal yno.

O'u cwmpas clywent y blits yn gwaethygu. Sŵn briciau'n syrthio. Sŵn waliau'n chwalu. Aroglau teiars rwber yn llosgi. Drewdod draeniau'n byrstio, a ffrwydron, swlffwr, deinameit a chordeit.

"Dwi isio mynd i'r lle chwech," cwynodd Adeline o blith y crysau a'r tywelion. Tisiodd a thisiodd eto ac eto.

"Ti'n niwsans. Bob tro!" Ceisiodd ei brawd ei wneud ei hun yn gyfforddus yn erbyn hen gôt ei dad, a oedd yn llawn arogleuon baco a heli'r môr. "Na, aros lle rwyt ti, neu swp o waed ac esgyrn fyddi di, os fentri di allan o fa'ma. Ew! Taset ti 'di gweld y bom 'na—"

"Taw, y mochyn creulon. O! Mae 'nghlustiau i'n brifo!" criodd Adeline. "Mam, lle rwyt ti? Ti 'di mynd ers oriau. A'r tŷ 'ma jyst â syrthio ar ein pennau!"

"Sssh. Glywaist ti hi'n deud y bore 'ma, yn do? I ni aros yn y twll-dan-grisiau os basan *nhw*'n dod? Nes iddi hi gyrraedd? Y? Ateb fi!"

"Do," criodd Adeline, "ond amser cinio

ddywedodd hi. A dwi'n llwgu, a beth os—
aw! Cer o 'ma! Ti'n pwyso ar 'y nhroed i!"

"Os beth?"

Sgrechiodd Adeline yn ei glust yntau,
"Aaa! Ti'm yn deall? Beth tase hi'n mynd
ar goll, fath â mam Tommy Flint? A marw
o dan swp o gerrig, a'r dynion tân yn
m-methu'i thynnu hi allan?"

"O, codi bwganod wyt ti rŵan, y sopan
wirion. Yn *Andersen Shelter* stryd y Co-op

mae hi, yn berffaith saff. Fa'na roedd hi'n mynd, yntê? I giwio ben bore am fwyd."

Cydiodd Sam yn ei llaw o'r diwedd i'w chysuro. Teimlai'n euog ar ôl addo cymaint i'w fam. Gwarchod ei chwaer, cloi'r drws, diffodd y trydan.

"Ond mae fan'na'n bell, bell!" cwynodd Adeline trwy ei dagrau. "Pam na chawn ni *shelter* yn y stryd yma hefyd?"

"Does dim pres gan neb ffordd hyn, 'sti, dim un ddime goch."

"Wel, mae gan y brenin a'r frenhines ddigonedd o bres," cyhoeddodd Adeline, "ac maen nhw'n medru cuddio mewn selar 'di'i leinio'n binc fflyffi o dan y Palas yn Llundain efo toilet aur bob un, medda Mam—O!" Llifodd y dagrau eto.

"Wel," meddai Sam, gan obeithio tynnu ei sylw efo ffeithiau diddorol, "dim ond pobl fawr y plastai crand 'na tua'r Parc 'sgen selar, a does 'na ddim brics na sment ar ôl chwaith i drwsio'r adeiladau a chodi tai newydd, medda Mr Edwards yn yr ysgol. A does 'na ddim pwynt eniwê achos mi gaen nhw i gyd eu bomio'n gyrbibion wedyn—"

15

"O paid, wir!" crefodd Adeline. Gollyngodd law ei brawd yn flin. "Ti'n 'y ngneud i'n waeth o lawer. Ddweda i wrth Mam pan . . ." a sychodd ei thrwyn ar gornel tywel bras. "Sssh! Wyddost ti be, Sam?"

"Be?"

"Maen nhw'n arafu, 'sti!"

"Be?"

"Y bomiau, y twpsyn twp! Gwranda. Mae'r awyrennau'n mynd." Closiodd at ei brawd yn eu cuddfan gyfyng.

Pennod 2

"Ti'n meddwl bod yr awyrennau'n mynd?"
Symudodd Sam i un ochr i wneud lle iddi,
gan sathru'n galed ar y bocs-glanhau-
esgidiau. Crafodd brwsh pigog yn erbyn ei
goes fel draenog. Clywodd arogleuon
polish a Brasso a chanhwyllau, pryfed cop
a llygod.

Gwrandawai'r ddau yn astud. Peidiodd
rhythm y bwm-bwm. Peidiodd y cryndod
ar y grisiau, a'r fflachio a'r clecian.
Distewodd y dinistr.

"Wel, mi fentra i fynd i'r lle chwech
rŵan," meddai Adeline wrth godi o'i
basged. "Dwi bron â marw . . ."

"Dim ffiars o beryg. Swatio 'nei di nes
clywn ni seiren yr *All Clear*—dyna
ddeudodd Mam. Sssh!"

Gwrandawsant ar sŵn hen gloc mawr y
cyntedd yn taro un, dau, tri, pedwar.
Pedwar o'r gloch? A hwythau heb gael eu
cinio eto! Sut yn y byd y diflannodd yr holl
oriau rhwng brecwast a the?

Yn sydyn daeth rhu o'r uchelderau, ymhell uwchben y tŷ. Sŵn awyrennau'n ymadael. Sŵn peiriannau chwim yn rhwygo'r awyr.

"Ti'n iawn, Adi. Maen nhw am ei heglu hi. Ti'n clywed y Drym-drym, Drym-drym rhyfedd 'na? Awyrennau *Heinkels* ydyn nhw."

"Nage, *Junkers*."

"*Heinkels*, dwi'n deud 'that ti," mynnodd Sam yn hollwybodol. "Dau beiriant, heb eu syncroneiddio'n iawn, dyna ddywedodd Mr—"

"Wn i, y pen bach. A gei di glywed ein rhai ni yn y munud, ar eu hola nhw fel milgwn; sŵn gwahanol. Clyw!"

"Wn i hynny hefyd, y pen mwnci. Dacw nhw, y *Lancasters*. Mrim-mrim, Mrim-mrim. Hwrê!"

"Lladd maen nhw i gyd, beth bynnag," atebodd Adeline yn swta. "Peiriannau lladd pobl ydyn nhw bob un, medda Miss Moon dosbarth ni."

"A be mae hi'n 'i wybod am ryfel, y?" arthiodd Sam. "Dynion sy i fod i gwffio a merched sy'n aros adref. Hei! Ti'n meddwl

18

y bydd yr ysgol yn sefyll erbyn dydd Llun? Falle fod y bom 'na . . ."

"O dwi 'di cael llond bol arnat ti, Sam Lewis," criodd Adeline.

Ac mewn chwinciad chwannen roedd hi wedi gwthio heibio iddo, a rhedeg i'r toiled i fyny'r grisiau.

Dychwelodd a'i gwynt yn ei dwrn. "Wel, mae drych llofft Mam a Dad wedi'i dorri ac mae dy bethau bocsio di i gyd yn yfflon, ond mae fy nolis i i gyd yn iawn, a dim diolch i ti am hynny, Sam Spam," dywedodd Adeline yn flin, wrth ei thaflu ei hun i'w nyth. "Ac mae 'na lwch mawr dros bob man a'r hen ogla Noson Tân Gwyllt 'na, 'run fath â'r wythnos ddiwethaf pan oeddan ni i gyd yn cysgu cyn i Dad fynd . . . O! Mam!" A dechreuodd grio eto.

Syllodd y ddau blentyn yn ddisgwylgar trwy gil y drws i gyfeiriad y gegin a'r drws cefn. Oriau maith yn ôl aeth eu mam allan efo'i phwrs a thocynnau bwyd y teulu. Ei bwriad, meddai, oedd ymuno â'r gynffon hir o bobl y tu allan i siop y Co-op.

Yno deuai llond lorïau o lysiau bob dydd Sadwrn, o'r ffermydd yn y wlad, rhai ohonynt o Gymru. Cyrhaeddai faniau o gig moch, cig oen, cyw iâr ac eidion, a chig cwningod o'r caeau a'r coedwigoedd, a physgod o'r môr, gyda lwc, a ffrwythau o wledydd pell. Ond, wedi eu rhannu rhwng pawb, dim ond ceiniogwerth o fwyd oedd ar gael ar gyfer pob person, a phob plentyn, wedi oriau maith o aros.

"Dim hanner digon i stwffio malwen, wir i chi!" clywsant eu mam yn cwyno droeon ar ôl dod adref yn flinedig efo'i bag siopa, weithiau'n wlyb o'i chorun i'w sawdl ar ôl sefyllian yn y glaw.

Ond byddai cwyno Mam wedi bod yn braf brynhawn heddiw! O am gael gweld ei ffedog liwgar a'r hen sgarff goch am ei phen! Dyna feddyliai'r ddau blentyn yn eu lloches dywyll, ddu. Heb sôn am ei chanu gwirion a'i dawnsio ffal-di-rals i'r band ar y radio wrth baratoi te . . .

Cydiodd hiraeth a chwant bwyd anferthol ym moliau'r plant. Beth oedd yna i'w gnoi yn y cypyrddau, tybed, ar wahân i friwsion ddoe? Teisen foron? Bara saim?

"Dwi'n llwgu," cyffesodd Sam.

"Finnau hefyd," sibrydodd Adeline wrth

lyncu ei phoer a chlamp o lwmp yn ei gwddf.

Llanwai'r tŷ â rhyw hen ddistawrwydd annaearol. Disgwylient glywed y gloch "dim perygl", arwydd bod y gelyn wedi diflannu, a thad Tommy Flint wrth ei waith yn gweiddi ei bod hi'n ddiogel i bawb ddod allan o'u cuddfannau.

"Sssh!" Rhoddodd Sam un law ar geg ei chwaer, a'r llall i sychu'r chwys ar ei dalcen yntau, at ei fop o wallt cyrliog du. Dim sŵn, dim smic. Dim ond aroglau llosgi ac adlais pell o'r rhyfel.

Beth oedd yn bod? Erbyn hyn closiai'r brawd a'r chwaer at ei gilydd yn ofnus. Sobrwyd y ddau trwyddynt. Lle roedd eu mam?

"Biti na faswn i'n gorrach neu rywbeth i ffitio'n iawn i'r hen dwlc 'ma!" cellweiriodd Sam i geisio codi eu calonnau.

"Finnau hefyd. Corachod bach efo coesau byr. Mae fy rhai i'n binnau bach i gyd."

"Finnau hefyd, yn enwedig fy mhennau-gliniau."

"Biti," dywedodd Adeline, gan lyfu ei dagrau hallt oddi ar ei gwefusau a'u cael yn rhyfeddol o flasus ar stumog wag, "biti am heddiw a hithau mor braf a finnau cymaint o eisiau golchi dillad dolis cyn mynd i ffwrdd."

"Ti'n meddwl y cawn ni fynd?"

"Efallai." Closiodd ato'n bryderus. "Mae hi bron yn wyliau haf."

"Cael ein hanfon i ffwrdd at Anti Bet Wrecsam! Grêt! A chwarae bandits ar y comin 'run fath â chyn y rhyfel, a chwilio am 'sbïwyr a Natsïaid."

"Wel—M-M-Mam fydd yn gwybod, pan ddaw hi," llefodd Adeline yng nghesail ei brawd.

Os daw hi, meddyliodd Sam, heb ddweud yr un gair. Arhosodd y ddau yno, yn y tywyllwch, gan ddisgwyl a disgwyl.

* * *

Fry yn yr awyr las uwchben y ddinas, roedd un dyn bach ar ôl. Yno, yng ngwres yr haul, teimlai'r awyren yn drwm ac yn drwsgl. Roedd nifer o fomiau ar ôl ym mherfeddion yr *Heinkel 111*. Dechreuodd y peilot ffidlan efo'r botymau a'r deialau

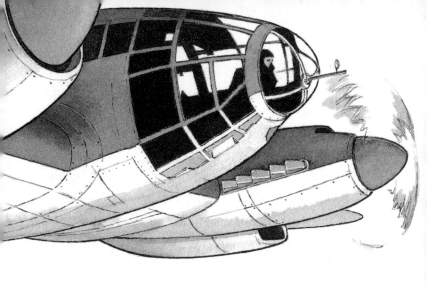

o'i flaen. Gwnaeth arwydd ar y taniwr a eisteddai'n braf yn y cefn. Neidiodd hwnnw ar ei draed ar unwaith i ollwng mwy o ffrwydron ar y targed.

Rhuodd yr injan yn ffyrnig. Yna dilynodd y peilot ei gyfeillion tuag adref. Yno byddai'n disgwyl gweld ei dŷ yntau'n deilchion hefyd, wedi i griw o awyrennau Prydain fomio ei famwlad.

Peth ynfyd oedd y rhyfel, meddyliodd y peilot yn ei *Heinkel* mawr trwm. Un genedl yn dial ar y llall. Pawb yn talu'r pwyth. Ynfyd, ffôl, dieflig.

Gwagiwyd yr awyren o'i bomiau. Y prynhawn hwnnw disgynnodd pob ergyd ond un ar borthladd prysur Lerpwl. Yno hwyliai llongau a sybmarîns ar yr afon Mersi i amddiffyn y wlad.

Wrth wibio heibio, gwelodd y peilot strydoedd o dai fel map islaw. Ceisiodd ei orau glas i'w hosgoi. Gyda'i gamera tynnodd luniau manwl o'r ddinas ar gyfer yr ymosodiad nesaf. Yna diflannodd dros dir a môr i gyfeiriad yr Almaen.

Syrthiodd y bom olaf un ar Victoria Terrace, lle cuddiai Sam ac Adeline yn y twll-dan-grisiau.

Ffrwydrodd y tŷ yn goelcerth o dafodau tân.

Pennod 3

Pan lusgodd y dynion tân y plant o'r rwbel, dyma nhw'n dechrau cwyno'n syth.

"Pryd gawn ni ginio?"

"A-a-a the?" pesychai Sam yng nghanol y mwg.

Roedd dau ddyn ambiwlans yn ei gario ar stretsier, yn fwndel o glytiau rhacs a'i wyneb yn fudr.

Chwyrlïai'r lludw a'r fflamiau o'i gwmpas. Teimlai wres y tân yn llosgi ei wyneb. Clywai leisiau'n parablu. Prin y gwelai Adeline yn cael ei chario heibio ar ei stretsier hithau i'r ambiwlans. Ond clywai hi'n sgrechian, "Mam, Mam!" nerth esgyrn ei phen, a rhywbeth am ddilladdolis budron.

Syrthiai un tŷ brics ar ôl y llall fel rhes o ddominos. Y fath lanast! Y panig! Cloch yr injan dân yn tincial. Golau'r ambiwlans yn fflachio. Drewdod y draeniau a'r ffrwydron. Y strydoedd fel tir diffaith, wedi'u chwalu'n llwyr.

"Tendiwch y pympiau dŵr 'na!" bloeddiodd llais dyn.

"Daliwch y nosl yn nes!" llefodd dyn arall. "Sefwch yn ôl, bawb! Oes 'na rywun arall yn byw yn y tŷ 'ma?"

"O! oes!" ochneidiai'r cymdogion busnes-

lyd a heidiai o gwmpas fel adar y ddrycin.
"Y Jamaicans druan 'na, sobor o beth."

Cododd Sam ar ei eistedd, rhag i'r dynion ei gau yntau hefyd yn yr ambiwlans-oglau-Dettol.

"Brensiach y byd! Be sy'n mynd ymlaen yn fan'ma?" meddai llais cyfarwydd.

Rhwbiodd Sam ei lygaid, yn methu credu bod ei fam wedi cyrraedd o'r diwedd. Trwy'r mwg gwelodd hi'n syllu i lawr arno, ei hen sgarff goch am ei phen, a'i llygaid duon yn fflachio.

"'Ngwas aur i! Be sy 'di digwydd? Ti'n racsia i gyd! A ble ar y ddaear mae Adeline, Sam?"

Pwyntiodd Sam at yr ambiwlans. Rhuthrodd ei fam yno.

"'Mabi fi! O 'mabi del i! Ti 'di dy losgi, pwtan? O nefi wen!"

Neidiodd Sam oddi ar y stretsier a rhedodd ar ei hôl. "Mam! Lle fuest ti mor . . ." Yna gwelodd ei bod hi'n cario llond bag brown y Co-op o fwyd a photel o *Vimto*. Chwarae teg iddi! Teimlai'n euog unwaith eto.

"Mae Adi'n iawn, Mam. Heb frifo'r un

blewyn o'i phen." Closiodd Sam ati a dechrau busnesu yn y bag.

"Dos o 'ma'r sglaffiwr," dywedodd ei fam. "Wel, does 'na'm llawer o ddim yn bod efo dy dafod di, beth bynnag, na dy fol di chwaith, o ran hynny."

"Mam y fechan ydach chi? Sioc, dyna'r cwbl ydi o, Missus," dywedodd dyn yr ambiwlans.

"Siŵr iawn," atebodd Mrs Lewis yn harti, "a'r hogyn 'ma hefyd. Ydy o'n iawn, 'dwch? Helpwch fi mewn, ddyn." Rhoddodd hwnnw hwb iddi i gefn yr ambiwlans.

"I mewn â ti, mêt, ar ôl dy fam," meddai'r dyn ambiwlans wrth Sam, ac yna wrth y gyrrwr, "Ysbyty Sefton Park! Brysia!"

A chyn i Sam gael cyfle i lamu i'r cefn atyn nhw, rhuodd yr ambiwlans i ffwrdd hebddo, trwy'r dyrfa a'r anialwch i gyfeiriad y parc. Safai Sam ar bentwr o frics, yn edrych fel cardotyn. Crensiai ei draed ar lestri wedi torri a doliau heb bennau a menig bocsio wedi rhacsio, a lluniau llosgedig o Joe Louis, Pencampwr y Byd.

Gwelodd fod y cyfan o'i eiddo wedi cael

ei ddifa, ei gartref a phopeth annwyl oedd ynddo.

Teimlodd law fawr ar ei ysgwydd. "Helô. Wedi colli'r cwch wyt ti?" meddai plismon anferthol.

"Naci, sybmarîn," atebodd Sam a'i ben yn y gwynt. "O—ond m-maen nhw'n deud bod 'na fwyd am ddim i'w gael yn yr ysbyty os ewch chi â'ch tocynnau bwyd efo chi."

"Y?" gwgodd y plismon yn amheus arno. "Be ti'n rwdlan, fachgen? Ti'n crynu fel deilen."

"Mewn sioc mae o, druan bach," meddai Missus Drws Nesaf yn fusneslyd. "'Dach chi'n gwbod be dwi'n 'i feddwl."

"Ie siŵr," pesychodd y plismon mewn cwmwl o fwg a lludw. "Tyrd, Joe Louis, a' i â chdi ar eu hola nhw ar gefn y moto-beic."

Dim ffiars o beryg, meddyliodd Sam. Ei fwriad ef oedd gwneud ei ffordd ei hun i'r ysbyty, diolch yn fawr. A gweld a oedd yr ysgol yn dal i sefyll yn gyfan, a thŷ Tommy Flint a'r llefydd cyfarwydd eraill ar hyd y daith. Roedd yn ysu am gael rhyddid wedi oriau maith mewn twll llygoden!

Gwingodd Sam o afael y cawr o blismon. Heglodd hi am y strydoedd pell fel llwynog yn dianc rhag yr heliwr. Rhedodd heibio'r wal yma a'r mur fan draw. Trwy'r twnnel tanddaearol o dan y briffordd. O dan bont y rheilffordd. I mewn ac allan o'r cilfachau a'r corneli.

Gwibiai Sam ar hyd llwybrau peryglus, rhwng sawl murddun bregus. Bu'r gelyn yn bomio'n brysur y diwrnod hwnnw, yn dryllio ac yn lladd. O'r diwedd, cyrhaedd-odd y crwt Barc Sefton a'i wynt yn ei ddwrn. Crefai am fwyd i lenwi ei fol. Roedd y lôn fawr rhyngddo ef a'r ysbyty yn wag oherwydd y prinder petrol. Dim ond lorïau'r fyddin, a cheir meddygon a swyddogion, oedd â digon o danwydd.

Yfodd yn ddwfn o dap dŵr oer y parc. Cododd ei ben i gymryd ei wynt ato. Gwelai ambiwlans ar ôl ambiwlans yn cyrraedd mynedfa'r ysbyty, a dynion fel gwybed yn cario'r cleifion i mewn ar garlam, i lawr i grombil yr adeilad, i'r seleri saff.

Gwelodd y nyrsys yn cau'r llenni duon dros y ffenestri, ac ambell ddoctor mewn côt wen yn cyrraedd yn ei gar chwim: Lagonda, Bentley, Morgan a Ford. Ac yno, rhywle yn Ysbyty Sefton, roedd ei fam ac Adeline yn ddiogel ac yn glyd!

Edrychodd draw i gyfeiriad y porthladd. Yno, rhywle ar hyd yr arfordir, cuddiai sybmarîn ei dad. Chwifiai balwnau anferthol uwchben y dŵr i rwystro'r gelyn rhag hedfan yn isel dros y ddinas.

Roedd machlud yr haul wedi troi'r Mersi yn afon o waed. Ar y gorwel pell, yn ôl ei dad, roedd yna fynyddoedd mawr fel rhesi o adeiladau anferth heb eu dymchwel, heb eu taro'n ulw i'r llawr. Safent yn gadarn, meddai, fel cestyll am oes oesoedd. Eryri, *Place of Eagles*.

Bwriad Sam yn awr, ers dechrau'r rhyfel, oedd eu dringo fel y gwnaeth ei dad erstalwm, a chuddio yno ymhell o'r terfysg.

Yn sydyn, ffrwydrodd y seiren fel ysbryd gwallgof unwaith eto dros y ddinas. Eto ac eto. Daeth sŵn rhuo awyrennau o'r de-ddwyrain, o gyfeiriad yr Almaen. Diffoddwyd goleuadau'r ddinas rhag i'r gelyn weld eu targed. Rhuthrodd fflyd o lorïau'n llawn milwyr o fewn trwch blewyn iddo, a moto-beics ac injanau-tân a sawl ambiwlans a'u goleuadau'n fflachio. Methai Sam yn lân â chroesi'r ffordd at yr ysbyty.

"*Hoi, kid!*" bloeddiodd dyn mewn iwnifform RAF wrthi'n cnoi gỳm o gefn landrofer, "*get the hell outa here! Jerry's on the warpath again!*"

Pennod 4

Rhuai lorïau'r awyrlu heibio i Sam, a thaflwyd pecyn ato. *Chewing gum*! Am ddim a heb docynnau dogni! Gwelodd wyneb du ac ynddo lond ceg o ddannedd gwyn yn gwenu fel giât arno o gefn un o'r cerbydau.

"*Have some gum, chum, as the Yanks say.*"

Ac i ffwrdd â nhw i gyfeiriad y porthladd, a'u teiars yn gwichian ar hyd y tarmac. Roedd y seirenau'n udo'n fyddarol o bobtu iddo a'r drafnidiaeth yn gwibio heibio i'w drwyn.

"*Out the way, kid!*" gwaeddodd milwr arall. "*Get down the shelter, pronto!*"

Roedd hi'n anobeithiol croesi yn unman. Rhwygodd Sam y pecyn yn agored. Stwffiodd hanner dwsin o ddarnau gŷm i'w geg a'u cnoi'n farus. Does 'na ddim ond un peth amdani felly, meddyliodd. Tŷ Tommy Flint, y drws nesaf i'r ysgol. Os oedd o'n dal yno . . .

Brasgamodd Sam ar draws y parc yng nghwmni'r cŵn a'u perchenogion oedd yn gweiddi *"Shelter, shelter!"* Anelodd am Sefton Avenue a churodd yn wyllt ar y drws.

"Tommy! Tommy! Fi sy 'ma, Sam!"

Dim ateb. Roedd y drws yn gilagored. Efallai bod ei ffrind yn cuddio i lawr yn y seler? Aeth i mewn i'r cyntedd. Tŷ galar. Tŷ distaw fel y bedd. Aelwyd oer a phlanhigion wedi gwywo, a thristwch a cholled. Drwy

ddrws agored, gwelai Sam lun mam Tommy ar y pentan—bu farw yn y blits y Nadolig diwethaf.

Roedd hi wedi mynd i un o'r siopau dillad crand yn y dref efo'i thocynnau prin i brynu trowsus newydd i Tommy, yn ôl y sôn. Y lle'n cael ei fomio'n siwrwd wedyn ac ni ddaeth allan, druan fach. Cyffyrddodd Sam yn llun y tad hefyd: dyn pwysig, dewr yn ei iwnifform a'i het Warden y Blits. Yna gwelodd lun o'r ysgol cyn y rhyfel efo Tommy ac yntau'n eistedd ar y rhes flaen.

Sgrechiodd y seiren ei rhybudd olaf. Drym-drym daeth yr *Heinkels*. Drwwwm prysurai'r *Junkers*. Deuai'r bombardio'n nes. Roedd y rhyfel ar ei warthaf unwaith eto.

"Tommy!" criodd Sam ar draws y twrw erchyll.

Crash! Ffrwydrodd bom yn beryglus o agos ato. Roedd Sam ar fin plymio o dan fwrdd y gegin pan glywodd sŵn traed trwm y tu ôl iddo.

"Sam Lewis! Yn rhacsiau i gyd! Roeddwn i'n amau mai yn y fan yma y byddet ti!" meddai llais Mr Edwards y prifathro. "Tyrd efo fi ar unwaith! Dwi 'di bod yn chwilio amdanat ti drwy'r dydd."

Bachodd y prifathro gôt Tommy o gefn rhyw gadair, a'i lapio am Sam cyn ei lusgo trwy'r drws i iard yr ysgol ac i lawr i'r seler. Yno tyrrai plant a phobl o'r strydoedd cyfagos i gysgodi rhag y peryglon.

Yn y gwaelod un, syllodd Sam yn syn ar y bylb llachar yn sboncio o'r to isel i rythm pob ergyd a drawai'r stryd uwchlaw. Beth petai'r cwbl yn syrthio ar eu pennau? A'u claddu fel mymis yr Aifft, fel ddigwyddodd yn Ysgol Anfield?

Roedd ei drwyn yn llawn o aroglau lobscows a phwdin reis, yn gymysg â chwys a Dettol a Germolene. Seler yr ysgol! Dyna'r lle olaf y dymunai Sam fod ar nos Sadwrn! Chwilota am shrapnel ymysg y difrod efo'i fêts oedd ei ffansi fel arfer, gan obeithio dod ar draws swásticas i'w gwerthu. Ond heno, doedd ganddo ddim dewis.

"Plîs syr, gawn ni chwarae Jyrmans?" gofynnodd wrth bwnio'n fygythiol i'r awyr.

"Duw a'n gwaredo!" atebodd y prifathro. "Mae gen i bethau pwysicach i feddwl amdanyn nhw heno."

Brysiodd at Miss Moon, a edrychai'n anarferol o ddel ac ifanc y noson honno, a dynes grand yn iwnifform y Groes Goch. Dyna pryd y gwelodd Sam Tommy Flint. Eisteddai a'i ben yn ei blu ar fatras lwmplyd yn pigo'r stwffin ohoni efo'i gyllell boced. Aeth Sam ato ar unwaith i godi ei galon, efo'r gôt a'r *chewing gum*.

"Tisio gỳm, chỳm?" Estynnodd Sam baced llawn iddo.

"Lle cest ti hwn?"

"Dwi'm yn deud. *Careless talk . . .*"

"'I ddwyn o wnest ti, 'nte, o'r siop sglodion?" meddai Tommy'n biwis. "Welist ti'r cownter 'di fflatio fel crempog? Ew! A'r saim yn llifo hyd y pafin a'r postmon yn syrthio ar ei din?"

"Mae Adeline yn y 'sbyty, a Mam hefyd," cyhoeddodd Sam yn drist. "Mam fi, hynny ydy—"

"O."

"Sori," ymddiheurodd Sam, gan gofio am fam Tommy.

"Iawn, 'sti." Plygodd Tommy ei ben, ei feddwl yn llawn o atgofion am ei fam. Yna siriolodd yn sydyn. "'Dan ni'n mynd o 'ma fel *evacuees*, medda Syr. Fory nesa. Mae 'na lot wedi mynd yn barod, yn does?"

"*Evac*—? Cael 'n hanfon i ffwrdd, ti'n feddwl? Go iawn?" Neidiodd Sam ar ei draed. "I ble?"

"Sam Lewis, eistedda i lawr!" bloeddiodd Mr Edwards gan glecian ei fysedd a dechrau ar ei araith bwysig fel petai'n cyhoeddi diwedd y byd. "Rŵan, 'te, blant, fel y gwyddoch chi, rydw i wedi cael caniatâd sbesial y Swyddfa Addysg i agor yr ysgol i'r digartref, a dyma fi 'nawr wedi llwyddo i berswadio eich rhieni i adael i chi fynd am dipyn o wyliau i'r wlad!"

"Ww!"

"I ble, syr?"

"Pryd?"

Sibrydai'r lleisiau o gwmpas y prifathro fel nythaid o glêr.

"Distawrwydd, os gwelwch yn dda!" mynnodd Mr Edwards. "Yn ôl y Llywodraeth, does 'na ddim eiliad i'w cholli. Bore fory amdani, felly. Iawn?"

Pennod 5

"Bore fory, wac? Ond 'sgen i'm stitsh o ddillad glân i'r blwmin' tacla," llefodd Missus Drws Nesaf, a oedd wrthi'n llwytho lobscows poeth ar res o blatiau ar y bwrdd ac yn smocio sigarét 'run pryd.

"Plîs, syr," plediodd Sam, "mae'n rhaid i chi ffonio'r ysbyty'r funud 'ma. Mam . . . Adeline . . . a 'sgen i'm menig bocsio ar ôl, syr."

Syllodd pawb arno yn gegrwth. "Rhag dy gywilydd di, Sam!" gwaeddodd y prifathro'n ddiamynedd. "Mi glywais i beth ddigwyddodd i ti—eich cymdoges ddywedodd. A phwy heblaw ti feddyliai am fenig bocsio ar adeg fel hyn!" A chleciodd ei fysedd.

Trystio hi, Missus Fusneslyd, meddyliodd Sam, hi a'i phlant gwirion.

"Beth bynnag," crawciai llais y prifathro o dan y straen, "mae ffôn yr ysgol wedi torri yn yr holl siandifáng yma, yr unig ffôn yn y stryd fel y gwyddost ti, Sam. A phwy fentrai allan yn y blits, mm?"

Aeth Mr Edwards yn ei flaen. 'Mae pob rhiant—ac mae hynny'n cynnwys mam Adeline a Sam Lewis—eisoes wedi anfon llythyr ata i yn rhoi eu caniatâd ar gyfer y trip 'ma. Felly, fory . . ."

Roedd hyn yn newydd i Sam. "Llythyr? Pa lythyr, syr?"

"Dyna ddiwedd ar y mater!" meddai'r prifathro yn swta. "Rŵan 'te, beth am damaid o swper?"

"Hwrê!" A rhuthrodd pawb i'r cantîn ar eu cythlwng.

"Tyrd yma i mi gael clymu hwn arnat ti," dywedodd Miss Moon wrth Sam. "Ac mi ga i air efo rhywun i fynd â'r neges draw at dy fam, ben bore, paid â phoeni."

Disgwyliai yntau yn y gynffon hir o blant am ei lobscows a'i bwdin reis. Clymodd yr athrawes label i fotwm ei grys rhacsiog. Arno roedd rhif, a'i enw a'i gyfeiriad. Ac yntau heb yr un cyfeiriad bellach!

"Tithau hefyd, Tommy, a phob un ohonoch chi." Brysiodd i labelu'r criw i gyd. "Dysgwch eich rhifau ar eich cof, rhag ofn."

"Rhag ofn be, Miss?" gofynnodd Tommy.

"Rhag ofn i ti fynd ar goll, 'ngwas i," meddai Miss Moon a'r dagrau'n cronni yn ei llygaid.

"Fel parseli yn y post, debyg." Tyrchai Sam i'w swper erbyn hyn, wrth y bwrdd efo plant drws nesaf a lynai at ei gilydd fel gelen, ac at eu tedi-bêrs. "Be ddaw ohonon ni, 'dwch?"

"Mm . . . nn . . . gwbod," mwmialodd y ddeuawd i'w pwdin.

"Diddorol," atebodd Sam wrth godi o'r bwrdd. "Hwyl."

Gwelodd Miss Moon yn cael gair â dynes y Groes Goch a oedd wrthi'n dosbarthu mygydau Mickey Mouse i griw o blant swnllyd. Ysgrifennodd honno'r manylion yn ei llyfr nodiadau a'i ddychwelyd i'w phoced. Yna trodd i sgwrio clustiau'r plant a chwilota am chwain gwallt.

Mynnodd Sam gael ei hun yn barod. Roedd llygaid soseri'r mwgwd, a'r trwyn eliffant yn ddigon i ddychryn y diafol, heb sôn am Minnie Mouse a Donald Duck a Goofy. Erbyn meddwl, mi fuasai ffilm cartŵn ar ôl swper yn codi hwyliau pawb, ond dyna fo, doedd dim gobaith i hynny ddigwydd.

Sodrodd ei fwgwd ar ei ben, i osgoi archwiliad y chwain. Bu bron iddo dagu ar

yr aroglau rwber a lanwai ei drwyn. Prin y
medrai anadlu. Tisiodd ar y powdwr talc a
rwystrai'r rwber rhag pydru. Swniai lleisiau
pawb ymhell bell i ffwrdd. Cofiodd rybudd
ei dad am y nwyon peryglus a allai ddod
unrhyw funud—gyda'r ymosodiad nesaf,
efallai.

"Aaa!" Neidiodd Tommy-Mickey-Mouse
ar ei ben ac aeth y ddau i reslo'i gilydd.

44

"Setlwch i lawr rŵan," meddai Mr Edwards mewn llais blinedig wrth droi'r golau'n is. "Mae ganddon ni daith trên hir o'n blaenau ni fory. Nos da."

Ar ei wely pantiog ceisiai Sam wneud lle cysurus iddo'i hun. Cydiodd yn ei fwgwd rhag ofn. Teimlai ei fol yn orlawn o gawl a phwdin reis. Clywai'r bwyd yn ffrwtian ac yn byrlymu trwy ei stumog.

Wedi i'r gloch "dim perygl" ganu, rywbryd yn ystod oriau mân y bore, syrthiodd Sam i drymgwsg. Melys cwsg potes maip—dyna fyddai Anti Bet Wrecsam yn arfer ei ddweud.

Yn y stesion y bore wedyn, cyffyrddai Sam â'i ddillad newydd crafog, a'r rheiny'n pigo'i groen fel hen gacynen slei. Rhoddodd Miss Moon ei gap yn ôl ar ei ben, a sythodd y bocs yn dal ei fwgwd a grogai o'i flaen. Roedd clychau'r eglwysi yn fud y bore Sul hwnnw gan fod llawer ohonynt wedi cael eu bomio y noson cynt.

Roedd dynes y Groes Goch wedi dychwelyd o'r ysbyty erbyn hyn ac wedi dweud nad oedd angen i Sam boeni am

Adeline a'i fam. Taclusodd ei dei ysgol a'i goler-wedi-startsio, yn annwyl a dweud, "Mi fydd dy fam a dy chwaer yn siŵr o dy ddilyn di, a hynny cyn gynted â phosib."

"*Teacher's pet* ydi hwnna," sibrydodd y clecs o blith y disgyblion i lawr y platfform.

"*Black Sambo*," dywedodd rhywun yn gas.

Daeth y trên stêm i mewn i'r stesion.

"Dyna ddigon!" bloeddiodd Mr Edwards wrth hebrwng y criw i mewn i'r cerbydau cyfforddus efo lluniau lliwgar o lefydd-gwyliau braf ar y waliau. "Dewch ar unwaith!"

"Hei, wac!" ebychodd Missus Fusneslyd yn ei hacen Lerpwl, "lle 'dach chi am fynd â ni? Blackpool?"

"Cymru, madam," atebodd y prifathro'n swta wrth gau'r drws yn glep. "Ond fedra i ddim dweud ble, yn union." A chymerodd hoe fach yn y coridor i gyfrif pennau. Roedd y trên yn orlawn o ffoaduriaid o bob math, yn dianc o'r peryglon.

"Cymru? Twll din y byd!" gwaeddodd hithau ar ei ôl. "Godro defaid fyddwn ni'n gorfod gwneud, a chodi rwdins yn y glaw!"

Diolchodd Mr Edwards fod chwiban y giard ar y platfform wedi rhoi taw ar barablu Missus Fusneslyd. Symudodd yr hen drên brown-a-melyn yn araf i lawr y lein.

Doedd mynd ar ei wyliau efo'r ysgol yn apelio dim at Sam, heb sôn am orfod mynd gyda'r teulu drws nesaf. Yn ddigalon, agorodd ei gês bach ar ei lin. Pyjamas ail-law y Groes Goch, a sanau a dillad isaf glân. Crib gwallt newydd, a thiwb o bâst-dannedd a brwsh. Teimlai, ar ôl ei holl anturiaethau, yn flinedig a gwan.

Ysai Sam am gael gweld y mynyddoedd. Gwyddai ei ffordd o Loegr i Wrecsam, fwy neu lai, heibio Rhiwabon a'i ffatrïoedd hyll. Ond cuddiwyd pob enw stesion yn awr, ar hyd y ffordd, rhag ofn.

"Rhag ofn be, Miss?" Roedd Tommy wedi gofyn y cwestiwn droeon.

"Rhag ofn 'sbïwyr," oedd ei hateb hithau bob tro, "i'w drysu nhw'n lân."

Ar y daith bell, collodd Sam bob synnwyr o gyfeiriad: gogledd a de, dwyrain a gorllewin. Llithrodd i'w freuddwydion . . .

Sgrechiodd y brêcs a herciodd y trên ar

hyd y lein cyn stopio'n stond. Trawodd Sam ei ben yn erbyn y ffenestr. Deffrodd yn sydyn.

Y môr! Ac olwyn fawr wen yn troi a throi, a gwylanod yn crawcian ar y ffensys.

"Rhyl! A'r Marine Lake!" gwaeddodd Tommy Flint. "I fa'ma ddaeth Mam â fi, unwaith—O!"

"Sssh," sibrydodd Miss Moon a chydio yn ei law.

"Oes 'na fynyddoedd yma, Miss?" Rhwbiodd Sam ei lygaid wrth syllu trwy'r ffenestr.

"Dim gair, ssh." Rhoddodd hithau ei bys dros ei cheg.

"Ond pam? 'Dan ni yno, jyst!" protestiodd Sam.

"Dyna ddigon, rhag ofn." Caeodd Miss Moon ei llygaid yn erbyn goleuni cryf yr haul ar ddiwedd dydd.

"O, rhag ofn beth?" gofynnodd Sam yn ddiamynedd.

Ar hyn gwylltiodd Miss yn gacwn. "Wel rhag ofn i'r gelyn gael hyd i holl blant y wlad 'ma a'u lladd nhw fel pryfed, os wyt ti eisiau gwybod. Rhag i'r un ohonoch chi dyfu i fyny, a chael plant, fel bod 'na neb ar ôl i gario'r wlad 'ma ymlaen i'r dyfodol. Dyna pam! Rŵan, cau dy geg, Sam, *plîs*."

"Sori, Miss." Dyna beth oedd ystyr go iawn *evacuees*, felly, meddyliodd Sam; dyna'r holl bwynt.

Gwibiodd y trên ymlaen—y môr ar un ochr, a'r mynydd ar y llall. Liw nos oedd hi bellach. Doedd golwg yn unman o'r awyrennau, fel bwystfilod rheibus yn hela eu prae.

Yn sydyn, draw yn y pellter, gwelodd Sam ei fynyddoedd ef. Y mynyddoedd rheiny yr ysai i'w dringo fel y gwnaeth ei dad erstalwm. Eryri!

Llanwodd ei galon â hapusrwydd wrth wylio'r tirlun yn gwibio heibio. Coed a chaeau a defaid a gwartheg. A mwy o wylanod yn mewian ac yn cyhwfan o gwmpas y trên. A chastell! A waliau hir, hir am filltiroedd, a thŵr uchel ar ben y creigiau, ac ogof.

Hyrddiwyd y trên i'r stesion nesaf. Stopiodd yno i gael dŵr a glo ymysg yr hen injanau rhydlyd a orweddai'n foldew ar hyd yr ochrau.

"Llandudno Junction, sssh," pwffiodd Missus Busneslyd ar ei sigarét wrth godi o'i sedd. "Cofio'r blwmin' trip 'na i'r traeth cyn y rhyfel, wac," ac aeth allan o'r cerbyd i lawr y coridor i chwilio am ei phlant.

A gwynt teg ar ei hôl hi wir, meddyliodd Sam. Magodd yr hen drên nerth a chyflymdra, wrth groesi pont gastellaidd. Roedd y gwylanod swnllyd yn eu tywys i deyrnas y Cymry.

"Ew, castell arall!" dawnsiodd Sam ar ben ei sedd. "Mae'r lle 'ma'n llawn o blwmin' cestyll, wac!"

Chwarddodd pawb, hyd yn oed yr athrawes, dros y lle wrth iddo ddynwared Missus Busneslyd. O Gonwy taranodd y trên yn ei flaen ar hyd yr arfordir, rhwng môr a mynydd ar ei antur fawr.

"Ynys! Ydan ni bron yna, Miss?" mentrodd Sam. "A goleudy! Ac ynys arall, un anferth!"

Pwysodd ei drwyn ar y ffenestr i gyfeiriad y gorllewin. Disgleiriai machlud yr haul ar ei wyneb fel aur.

Pennod 6

Ymhell cyn i Sam groesi Pont Menai roedd gwadnau ei esgidiau'n llosgi ei draed. Bu'n cerdded yr holl ffordd o stesion Bangor efo'r plant eraill. I fyny'r stryd â nhw, heibio'r ysbyty a'r banc a'r post. Ar hyd y ffordd rhedai pobl a phlant o'u tai i'w gweld a'u gwawdio.

"Ww, bechod," meddai un.

"Sbiwch mewn difri ar eu hwynebau budron nhw!"

"Ha ha, yli blêr ydyn nhw . . ."

". . . a drewllyd," meddai eraill. "Pw! Llygod Mawr Lerpwl, wedi cripian o'u tyllau yn slyms Scotland Road."

Syllai'r *evacuees*—yr ymgilwyr—yn syn ar bobl y fro.

"Be maen nhw'n ddweud amdanan ni, syr?" gofynnodd Sam.

"Peidiwch â chymryd sylw," atebodd y prifathro wrth glecian ei fysedd a gwrido. "Does gen i ddim syniad. Dewch yn eich blaenau rŵan. Mae 'na dipyn o ffordd i

fynd eto," a hyrddiodd y gynffon hir o'r dref i gyfeiriad Pont Menai.

Machludai'r haul yn fflamgoch dros yr afon wrth i'r plant gerdded ar hyd y llwybr trwy'r goedwig ar lannau'r dŵr. Yn y distawrwydd clywsant yr adar yn canu'n swynol cyn clwydo ymysg y dail, ac ambell gwningen yn sgrialu i'w ffau. Gwelsant garped glas o glychau'r gog yn ymestyn o'u blaenau hyd ddiwedd y daith.

"Lle 'dan ni'n mynd, syr?" ochneidiodd Sam yn drwm dan ei feichiau, ond ni sylwodd neb. "Fyddan ni yno i swper?"

Ar unwaith cododd storm fyddarol yn y pellter, rywle ar ganol yr afon. Sŵn peiriannau. Sŵn dŵr yn sblasio, gynnau'n tanio a lleisiau'n gweiddi.

"Brysiwch!" bloeddiodd Mr Edwards. "At y bont â ni! Os byddwn ni'n lwcus, mi welwn ni'r *Catalinas*."

Llusgodd Sam ei draed blinedig ar hyd y llwybr, fel caethwas mewn cadwyni. Dilynodd y lleill i fyny'r lôn dros y bont uchel. Edrychodd i lawr i'r afon ddofn a rannai Ynys Môn o'r tir mawr. Islaw gwelodd awyren arian ar sgîs yn gwibio dros wyneb y dŵr i gyfeiriad y môr.

"*Catalina!* Ac un arall!" gwaeddodd dros y lle i bawb gael ei glywed.

Dilynodd ail awyren. Codasant fel dau aderyn metelaidd anferthol, gan adael criw o forwyr ar y creigiau ger y lli. Torrodd y ddwy *Gatalina* trwy'r afon fel cyllyll, yn taflu rhaeadrau yn eu sgil. Anelent am y dwyrain i gyfeiriad Lerpwl. A theimlai Sam yr hiraeth yn cnoi yn ei fol fel chwant bwyd. Yna croesodd y bont at yr ynys efo'r plant eraill, mewn gwlad estron ymhell o'u cynefin.

"*Halt! Who goes there?*" cyfarthodd y milwr hunanbwysig a warchodai Ynys Môn â'i wn, a llond bag o grenêds fel wyau Pasg.

"*Halt!*" safodd ei bartner yn stond yn ei esgidiau hoelion mawr. Cleciodd ei sodlau at ei gilydd. "*Evacuees, sir! Liverpool arrivals. To be escorted to the Scout Hut, SS-II-RR!*" ffrwydrodd ei lais o'i wddf.

Arweiniodd nhw i lawr y stryd at Neuadd y Sgowts. Yno chwifiai baneri lliwgar uwchben y fynedfa. Gwelent wynebau dieithr yn eu llygadu unwaith eto, o bob cyfeiriad.

O'r neuadd codai arogleuon hyfryd—te poeth yn stemio, a diod siocled, a brechdanau sbam. Roedd sŵn merched prysur yn clebran yn y gegin, a phlant yn chwerthin a llond y lle o hwyl a sbri.

Roedd y geiriau "Welcome" a "Croeso i Gymru" wedi eu plastro hyd y waliau. A lluniau o awyrennau *Spitfires* a llongau a sybmarîns, a merched del fel ffilm-stars yn gyrru lorïau, a brenin a brenhines Lloegr yn gwenu'n siriol o'u palas yn Llundain. A bys mawr Hitler yn pwyntio atynt, a swigen o'i geg yn dweud, *"TAKE THEM BACK! TAKE THEM BACK TO THE CITY, MOTHERS!"*

"O diar, maen nhw'n edrych mor siabi!" meddai Dynes y Te a fwriai lygad barcud dros y sioe, "ac yn ddu fel blacs!"

Deallai Sam gymaint â hynny. Syllodd i lawr yn llawn embaras ar ei ddillad newydd-ail-law. Beth oedd o'i le arnyn nhw?

"Yes, what a frightful sight! Are they orphans?" holodd dynes arall mewn llais mawreddog, crand.

"Hm, I'm as good as you any day," cegodd Missus Drws Nesaf arni, *"after*

what I've just been through and me home blown to pieces! It's bloomin' murder over there, I tell you. Gis a cuppa, luv, three sugars."

A chyn i Sam gael ei wynt ato, gwelodd un plentyn ar ôl y llall yn diflannu trwy'r drws efo'i rieni maeth. Dewiswyd y plant taclusaf gyntaf, a'r merched tlysaf, a'r bechgyn talaf, cryfaf.

Gwelodd ddynes radlon, dew yn cipio Tommy Flint o dan ei drwyn a'i wasgu i'w chesail, a'i lusgo trwy'r drws at ei fan oedd yn llawn ieir swnllyd, gyda'r addewid pendant o gig moch a thatws i swper, a hufen iâ cartref i bwdin, a thro ar ferlen gyflymaf Cymru o gwmpas y caeau ar ei fferm yn Llannerch-y-medd.

"Diolch yn fawr, Mrs Preis!" gwaeddodd y prifathro ar eu holau. "Cymerwch ofal mawr ohono. Mi gafodd andros o fraw yn y blits y Dolig diwetha," a meimiodd y gair "Mam" rhag tywallt mwy o halen ar friwiau'r crwt.

Gwelodd Sam lu o blant y dref yn gwingo yn un bwndel mawr, direidus o dan y bwrdd pellaf, a'u gwepiau sbeitlyd yn ei wylio, gwylio trwy'r amser. Bachgen talgryf, pwdlyd efo gwallt golau oedd y gwaethaf ohonyn nhw, ac roedd hwnnw'n cael ei ddifetha'n lân gan ei fam efo pacedi o *Smiths Crisps* a *Vimto*.

Aeth y si ar led am fam Tommy Flint fel tân eithin ar gomin. "O! bechod," mwmiodd pawb, a gwraig y Ficer yn fwy na neb. Mynnodd yn syth bod ei gŵr a hithau'n cynnig lloches i Missus Drws Nesaf a'i phlant, y trueiniaid, a'u tedi-bêrs. Ac i ffwrdd â nhw ar drot i'r Ficerdy a'i saith o lofftydd braf. Gadawodd pawb, a'r plant direidus hefyd i'w canlyn.

Edrychai Sam yn ddigalon o gwmpas y neuadd wag. Teimlai'n ofnadwy o unig. Pwy ddewisiai ef, yn fach ac yn ddu ac yn gyrliog fel ag yr oedd? Yn ei ddillad aill-law a'i gês o'r Groes Goch? O, mor wahanol fyddai popeth pe bai Adeline a'i fam gydag ef, a'i dad! A Tommy. Pwniodd yr awyr fel petai ym Mhencampwriaeth Bocsio'r Byd.

"Un dyn bach ar ôl, mm?" gwenodd Mr Edwards arno'n garedig, wrth lyncu diferion olaf ei baned. Bwriodd olwg ymbilgar ar Ddynes y Te, a oedd wrthi'n brysur yn clirio ac yn golchi llestri drwodd yn y gegin. "Mrs Jones! Un funud, os gwelwch yn dda!"

Ysgydwodd honno ei phen. "Sori, Mistar, 'sgen i ddim lle i'r creadur bach 'na, a finnau efo digon ar fy mhlât yn barod efo'r hogyn 'cw. Sori, dim twll na chornel."

Pennod 7

"Ddoi di adref efo ni, Sam?" gofynnodd y prifathro'n garedig. "Mi fydd Miss Moon yn aros efo fy chwaer a'i phlant, drws nesaf i mi yn Llanfair-pwll-gwyn-gyll-go-ger-y-chwyrn-drobwll-Llantysilio-gogo-goch. Mi fuaset ti'n licio hynny, 'n buaset ti? Na?"

Ysgydwodd Sam ei ben yn araf deg.

"Ti'n siŵr? Mae'r tad i ffwrdd ar y môr efo'r Llynges, mewn sybmarîn 'run fath â dy dad di. Na?"

Arafodd yr ysgwyd pen. Cleciodd y prifathro ei fysedd yn ddiamynedd. "Wel, croeso i ti ddod adre efo fi, at Mam a Nhad. Ddoi di? Mm? Ac mi awn ni â chdi i Bictiwrs Bach y Borth i weld *Tarzan* brynhawn Sadwrn!"

Gwrthododd Sam yn bendant. Treulio ei wyliau haf efo'r athrawon? Ac yn y lle 'na efo clamp o enw hyll, hirwyntog? O na! Os am antur, meddyliodd yn eofn, antur go iawn amdani. Mi a' i fy ffordd fy hun yn yr hen fyd 'ma, diolch yn fawr. Dychmygai'r mynyddoedd. Eryrod. Ogofeydd. Hela. Dringo. Dianc. Pethau oedd at ei ddant.

"Wel!" cleciodd Mr Edwards ei fysedd yn benderfynol, "dim ond cartref Mr a Mrs Morgan-Pugh sydd ar ôl bellach. Ac mae'n ddyletswydd arnyn nhw i gymryd o leiaf *un* ohonoch chi."

Aeth ag ef at y ddynes grand. "Dyma Sam Lewis i chi, madam, eich *evacuee*. Cymerwch ofal mawr ohono. Mi ddo i heibio chi nos yfory i weld sut mae o'n setlo i lawr yn y Plas. Ydy'r gŵr o gwmpas?"

Syfrdanwyd y ddynes drwyddi. Twtiodd ei ffrog fel pe bai am gyfarch ymwelydd o'r Blaned Mawrth. A phrin y medrai ateb, "dyma fo yn syth o'r capel yn y *Jaguar*, ar y gair," pan gyrhaeddodd dyn tal mewn het giangster a'i wynt yn ei ddwrn.

"Rŵan 'te, Sam," mynnodd y Prifathro, "rwyt ti'n fachgen *hynod* o ffodus, felly cofia di fihafio dy hun," a sibrydodd rywbeth yng nghlustiau'r ddau. Clywodd Sam y geiriau "bom" ac "ambiwlans" a "Sefton Hospital", rhwng ambell glec o'r bysedd.

"Aaa, wela i," hisiodd y dyn trwy ei ddannedd gosod.

Hen wyneb rhychiog oedd ganddo, a'r croen wedi ei dynnu'n dynn dros ei

benglog. Yna clywodd Sam y geiriau,
*"Better come along then, dear boy. War
Effort, eh what?"*

Cownt Draciwla ar fy marw, meddyliodd
Sam, a Missus Ffrancenstein! O mam bach!

Llithrodd y *Jaguar* fel melfed i fyny'r
stryd trwy gysgodion y cyfnos, heb
oleuadau. Suddodd Sam i'r lledr moethus
yn y cefn. Cydiai yn ei focs-mwgwd yn un
llaw a'i gês yn y llall. A'r Cownt wrth y
llyw, gwibiodd y car trwy fynedfa'r Plas.
Cafodd y giatiau haearn fynd i Ffatri
Brychtyn erstalwm iawn, eglurodd Missus

Ffrancenstein yn bwysig, i'w toddi i wneud awyrennau rhyfel.

Ar ben y bryn o'u blaenau safai hen dŷ o gerrig yng nghanol y coed. Crawciai nythaid o gigfrain ar ben y simneiau a'r tyrau. Chwyrlïai niwl sinistr trwy'r gerddi. Wrth iddynt nesáu, gwelodd Sam fod y llenni duon eisoes ar gau dros y ffenestri. Castell y Fampir! Gwgodd Sam wrtho'i hun yn y car. Roedd yn ddig iawn efo Mr Edwards am ei anfon i'r fath le. A'r eiliad hwnnw daliodd lygad Draciwla yn nrych y gyrrwr.

"Wipe that sulky look off your face, you ungrateful little monkey," arthiodd trwy ei ddannedd gosod, nes eu bod nhw'n ysgwyd fel gwn Ac-Ac awyren o'r Lwfftwaffe.

Stopiodd y car. "Sssh, Oscar," rhoddodd ei wraig ei llaw ar fraich ei gŵr i'w dawelu. *"Out of the Jag at once, child, and off with you round the back. Mrs Ogmore will give you supper in the kitchen."*

Ac yntau ar lwgu, rhedodd Sam fel milgi o'r modur at ddrws cefn y Plas. Agorwyd iddo gan ddrychiolaeth yn gwisgo ffedog a chap lês. Morwyn Draciwla!

"I'r bàth â chdi, y goliwog bach!"

sgrechiodd arno, a deallodd Sam yn syth. Gwthiodd ef i fyny'r grisiau cefn at yr ystafell ymolchi. Wrth i'r bàth gael ei lenwi â dŵr poeth a hylif o sebon-fflyff a Dettol, tynnwyd pob cerpyn oddi amdano. Gwthiwyd ef yn ddidrugaredd i'r dyfnder-oedd a'i sgwrio o'i gorun i'w sawdl â sbwng mawr bras.

Roedd Sam yn benderfynol o ymddwyn yn ddewr, waeth beth ddigwyddai iddo.

Ymhen hir a hwyr roedd y drychau aur a'r teils drudfawr yn stêm i gyd. Gorchuddiwyd ef â thywel anferth fel clogyn King Kong a'i sychu'n gignoeth bron. Taflwyd ei byjamas ato'n ffwr-bwt.

"You! Black boy! Downstairs—food, kitchen, eat. Upstairs—attic, bed, sleep," cyfarthodd y forwyn.

Waeth i mi fod yn gi twp ar domen sbwriel ddim, meddyliodd Sam. Llamodd o'i gafael, a rhuthro i waelodion y tŷ, dwy ris ar y tro. Yn y gegin llowciodd ei swper o uwd wrth y bwrdd, a llyfodd y fowlen yn lân.

O'r popty deuai arogleuon hyfryd cig rhost a theisen afalau i'w ffroenau. Chwiliodd am ragor o fwyd. Sleifiodd at yr oergell fawr yng nghornel y gegin. Nid oedd erioed wedi gweld y ffasiwn beth o'r blaen. Agorodd y drws. Cyw iâr a sosej! Jeli! Potel o siampên! A gwin. A rhesaid o wyau brith-frown fel milwyr boldew, dwsinau ohonyn nhw! A digonedd o lefrith, a thun agored o *condensed milk* tew fel triog. Cymerodd lwyaid ohono a llyfodd y llwy fel lolipop. Bachodd ddarn o gaws a'i lyncu'n gyfan.

"Hoi!" neidiodd Morwyn Draciwla o 'nunlle. "Dos o 'ngolwg i, Llygoden Fawr

Lerpwl. Sgram!" a rhoddodd hergwd iddo i fyny'r grisiau. *"Black people, bad luck!"*

Clywai fiwsig martsio ar y radio, a gwydrau'n tincial a sŵn chwerthin o ben draw'r tŷ. Y Monsters yn cael parti, debyg, ochneidiodd Sam, a dringodd i'r atig, i'w lofft unig yn y to. Pasiodd sawl ystafell grand ar y ffordd, efo siandelîrs yn hongian o'r toeau fel clystyrau o ddiemwntau.

Camodd i'r gwely ffrâm-haearn a'i fatras lwmplyd yn galed fel marblis, i'r cynfasau oer, digroeso. Ar y bwrdd wrth erchwyn y gwely gwelodd hen lamp Donald Duck, Beibl enfawr rhacsiog a chopi blêr o'r *Beano*, Mai 1938. Gorweddai ei ddillad yn daclus ar gadair.

Buan y suddodd i drymgwsg, lamp neu beidio. A buan y dechreuodd freuddwydio unwaith eto—hunllefau llawn antur. Achubodd Adeline o goelcerth arswydus, gan focsio Guto Ffowc yn gyrbibion. Tynnodd ei fam o'r rwbel yn Victoria Terrace. Achubodd ei dad o'r dyfnfor, a daethai'r bom droeon fel morfil mileinig yn cnoi *chewing gum* â'i ddannedd mawr ysgithrog.

Deffrodd Sam yn laddar o chwys.

Dallwyd ef gan olau llachar o'r lamp Donald Duck. Roedd ei galon yn pwmpio, a'i goesau a'i freichiau yn crynu. Clywodd gigfran yn crawcian i lawr y simdde. Chwythodd gwynt oer y nos swp o barddu ar leino'r llawr.

"Help!" bloeddiodd Sam. "Help!" Ofnai godi, ofnai aros yn ei wely, rhag ofn ysbrydion a llygod a phryfed cop. Ofnai stelcian i lawr y grisiau.

O'r diwedd mentrodd godi a rhedeg at y ffenestr. Tybed a oedd modd gweld y mynyddoedd? Rhoddodd blwc sydyn i'r llenni duon i weld allan. Syrthiodd y cwbl—yn cynnwys y rheilen bres—yn swp i'r llawr. Am siandifáng! Beth ddywedai'r Monsters bore fory?

Clustfeiniodd Sam. Ond ni ddaeth neb ato, dim un enaid byw. Brysiodd i ddiffodd y golau, wedi cofio rhybuddion ei fam a'i dad am beidio â dangos golau rhag iddo helpu'r gelyn. Syllodd trwy'r ffenestr at afon Menai. Gwelodd gysgod tywyll y bont. Roedd hi'n noson braf, y sêr yn goleuo'r nen, a'r lloer yn ariannu'r tir. I'r dwyrain, i gyfeiriad Lerpwl, gorweddai cwmwl coch ar y gorwel. Tybiai Sam iddo glywed bŵm y bomiau ac adlais pell o'r rhyfel.

Yn sydyn, saethodd awyren—un fechan —o'r cyfeiriad arall. Hedfanodd yn isel dros y bont, i lawr yr afon a thros y môr lle diflannodd y *Catalinas* gynt. *Messerschmitt* oedd hi! Gwibiodd un arall heibio, ac un arall, yn tanio eu gynnau trwy'r tywyllwch. Ac-Ac-Ac!

Ar eu holau daeth haid o *Spitfires* a *Hurricanes* o berfeddion Ynys Môn, yn rhwygo'r awyr â'u peiriannau chwim. Un, dwy . . . Ac-Ac-Ac! . . . chwech ohonyn nhw! Peiriannau lladd pobl, chwedl Adeline.

Yn sydyn trodd un o'r Almaenwyr i'r dde. Hedfanodd yn uwch dros y mynydd-oedd. Taranodd awyren RAF ar ei ôl a dyna lle bu'r ddwy yn chwarae mig â'i gilydd dros Fynydd Bangor, cyn diflannu i'r mynyddoedd, i Eryri, at eryrod Sam a'i dad.

Doedd dim modd dianc rhag y terfysg, hyd yn oed yng Nghymru. Yfory, pender-fynodd Sam, byddai'n codi ei bac a ffoi.

Pennod 8

Yn y bore bach, cyn codi cŵn Caer, curodd Morwyn Draciwla yn galed ar ei ddrws.

"*You, black-boy*," gwaeddodd. "*Kitchen —breakfast, porridge. Bedroom—dress, tidy. You out all day*."

Diolch byth, meddai Sam wrtho'i hun. Byddai'n gwneud pethau'n haws iddo.

Neidiodd Sam o'i wely a gwisgo amdano. Wrth gofio geiriau Miss Moon, stwffiodd y *chewing-gum* a'i rif cofrestru i'w boced. Gadawodd ei gês a'i gynnwys ar ôl. Doedd dim diben tynnu sylw ato'i hun.

Llamodd i lawr y grisiau, dair gris ar y tro, gan obeithio i'r nefoedd y câi amser i lowcio'r uwd cyn i neb weld y llanast o amgylch y ffenest.

Yn y gegin, dim ond cwmni'r tegell oedd i'w gael wrth iddo fwyta'r bowlenaid o uwd llugoer. Daliodd ei ben o dan y tap a chymerodd jòch go lew o'r dŵr crisial.

"Hwyl." Caeodd y drws cefn yn ofalus a gwenu wrth glywed y tegell yn chwibanu ar ei ôl. Roedd wedi chwarae jôc dda ar y

Ffrancensteins! Rhedodd Sam nerth ei draed i lawr y llwybr trwy fynedfa'r Plas, at y stryd. Doedd neb o gwmpas a dim un siop yn agored eto, er ei bod yn fore Llun. Clywodd gloc yr eglwys yn taro saith gwaith. Roedd tref Porthaethwy yn ddistaw fel y bedd.

Prysurodd Sam at y bont. Ar draws afon Menai gwelai fynyddoedd Eryri'n codi fel cestyll cewri. Yno, rywle yn yr unigeddau moel, gorweddai awyren yr Almaenwyr, a'r peilot, os byw ac iach. Ar hyd y ffordd bocsiai Sam â'r awyr yn hyderus, fel petai o'n Bencampwr y Byd.

"Halt! Who goes there?"

Suddodd ei galon. Cerddodd y milwr mwstaslyd yn fygythiol tuag ato, efo'i wn a'i esgidiau trymion. Arhosai'r giard arall yn ei gwt, yn gysglyd braidd. Gwelodd Sam eu bod wedi cau'r giât ar draws y lôn. Sut y medrai groesi'r bont? Sut y medrai ddianc o'r ynys?

"I ffwrdd â chdi, y cnonyn bach. Sbïwr wyt ti 'ta be?"

Syllodd Sam o'i gwmpas yn siomedig. Gwelodd bont arall draw tua'r de.

"O na, chei di ddim mynd y ffordd yna," meddai'r milwr yn gas, gan ysgwyd ei ben. "Dos o 'ma'r diawl drwg, neu mi— Ordors," a rhoddodd gic egr i'w gyfeiriad.

"*Hop it, kid*," ategodd y llall yn ddioglyd.

Sgrialodd Sam yn ôl i'r stryd. Roedd haul y bore, yn gymysg â'i ddagrau hallt, yn ei ddallu. Roedd pobl wedi dechrau cymowta o'u tai wrth ddisgwyl i'r siopau agor. Rhuai ambell gar a lorri heibio. Syllai pawb yn syn ar y bachgen dieithr, gan bwyntio ato, a sibrwd ymysg ei gilydd. Clywai Sam ambell air cyfarwydd— *Spitfire* a peilot, *Messerschmitt* a polîs. Stelciai Sam o lech i lwyn, gan geisio peidio tynnu sylw ato'i hun.

Yna gwelodd blant drwg y neuadd eto, yn hogiau a merched, ar bigau'r drain eisiau codi twrw efo plant Lerpwl wedi'r holl halibalŵ y diwrnod cynt. Roedd hi'n wyliau hanner-tymor o'r ysgol ac roedd sŵn direidi yn y gwynt.

"Hei! Ti!" bloeddiodd y giang yn wawdlyd i gyfeiriad Sam, ac roedd y bachgen tal, gwallt golau'n gweiddi'n uwch na neb.

Dihangodd Sam at lannau'r afon, a'i feddyliau ar chwâl. Beth oedd y peth gorau i'w wneud? Trueni na fyddai yna gwch, neu *Gatalina*, neu sybmarîn cyfleus yn ymddangos o rywle iddo gael croesi'r afon!

Bwrodd olwg sydyn ar hyd y promenâd. Yna cuddiodd y tu ôl i un o bileri'r bont, un o'r sylfeini cadarn o gerrig a droediai'r afon o'r ynys at y tir mawr. O'r fan hon edrychai'r Fenai yn beryglus iawn, yn llawn trobyllau, a'r llanw cryf yn tynnu, tynnu.

Y funud nesaf roedd plant y dref ar ei warthaf, yn edliw arno mewn iaith ddieithr. Ond doedd dim angen deall pob gair— roedd yr ystyr yn glir, a theimlai Sam yn unig a thrist. Tynnodd un yn ei wallt cyrls cwta, pwniodd un arall ei fraich, a gwenodd merch arno yn slei bach.

Cerddodd y bachgen tuag at Sam, gan ddal ei ddyrnau i fyny'n fygythiol. Talodd yntau'r pwyth yn ôl efo'i sgiliau. Ond heb ei fenig, cael a chael oedd hi, a bwriwyd Sam i'r llawr o dan draed y concwerwr.

"Joe Louis, Joe Louis, ha ha, ha ha!" gwatwarodd y penfelyn gan edrych i lawr

arno fel cawr, a dringo'n uchel i ben y
creigiau i ddangos ei orchest.

Oedodd yno am sbel i wneud yn siŵr fod
pawb yn ei weld a'i ganmol. Yna neidiodd
trwy'r awyr dros bwll dwfn. Glaniodd yn
ddiogel ac yn sych yr ochr draw.

"Hwrê!" bonllefodd y giang, gan guro
eu dwylo'n llawn edmygedd.

"*Now you, Titch*," oedd sialens y Bòs.

Cododd Sam ar ei draed ac anadlu'n

ddwfn. Sialens amdani, felly, meddyliodd yntau. Beth oedd ganddo i'w golli? Cymerodd naid uchel, a chropian yn chwim i fyny'r creigiau llithrig, llawn gwymon. Dringodd yn syth i'r top. Safodd yno am ychydig, yn edrych i lawr ar ei elynion.

Dechreuodd pawb weiddi arno, a gwneud hwyl am ei ben.

"Ha ha, shortie legs!"

"Bwyd i'r pysgod, ha ha!"

"Go on Sam, jump!" crefodd un o'r merched.

"Ie!" meddai'r llall, wrth wenu arno'n edmygus.

Oedodd y bychan ar y garreg dan bileri nerthol Pont Menai—sylfaen a osodwyd bron i gan mlynedd ynghynt. Teimlai'n hyderus a dewr. Roedd o wedi hen arfer â champau—neidio oddi ar bont rheilffordd, a sawl murddun simsan ar dir diffaith y ddinas. Beth oedd antur fach fel hon i rywun oedd wedi byw trwy'r blits ac a oedd wedi hen arfer cwffio â phlant strydoedd Lerpwl?

Un . . . dau . . . tri . . . Neidiodd Sam am ei fywyd. Dros y creigiau a'r pwll llydan

Glaniodd yntau'n sych ac yn ddianaf yr ochr draw. Roedd ei naid cystal pob tamaid â naid ei elyn efo'r coesau hirion. Cododd ei freichiau'n uchel fel Joe Louis ar ddiwedd gornest, a gwenodd fel giât.

"Ieeee! Hwrê!" clapiodd pawb, yn llawn edmygedd.

Daeth y bachgen penfelyn—y Bòs—ato ar unwaith a'i gyfarch fel hen ffrind. Dilynwyd ef gan yr hogiau eraill, a'r merched, pump o blant i gyd.

Bellach, roedd chwech yn y criw. Roedd Sam ar ben ei ddigon.

Pennod 9

Rhannodd Sam ei becyn olaf o *chewing gum* i daro'r fargen. Os mêts, mêts, meddyliodd. Ac adroddodd hanes Castell Draciwla a'r *Spitfires* wrth i'r criw gerdded tua'r pier, i wylio'r *Catalinas* ar Ynys Gaint. Wedyn cawsant straeon Lerpwl a'r blits ganddo, yn enwedig yr ymosodiad y Nadolig diwethaf, a'r un diweddar ym mis Mai, oedd yn waeth fyth.

Mor ddoniol oedd Sam yn adrodd y cwbl, yn ei Saesneg acen Sgows! Roedd y bachgen smala, llawn jôcs a direidi, wedi creu argraff dda ar y criw.

"Brysiwch! Dacw nhw!" cyhoeddodd Arwel y Bòs.

Rhuthrodd pawb ar hyd y promenâd, yn clochdar ac yn clebran fel hen ffrindiau. O'r pier gwelsant dair awyren-môr, a'u sgîs yn torri cwysi trwy'r afon. Y syniad wedyn oedd picio draw i gartref Arwel am deisennau a *Vimto*.

Tyrrodd pawb i dŷ Arwel yn un rhibidirês

hwyliog. Gwelodd Sam bod cartref ei ffrind newydd yn union gyferbyn â glanfa'r *Catalinas*. Safai Trem Eryri mewn gardd yn llawn o flodau, llysiau a choed. A thros yr afon gwelai Sam fynyddoedd Eryri yn eu holl ogoniant. Doedd o erioed o'r blaen wedi gweld y fath baradwys.

"Dewch, y tacla!" bloeddiodd mam Arwel o'r gegin, lle'r oedd hi wrthi'n clirio ac yn golchi llestri brecwast. "Brensiach y byd! Pwy sy ganddon ni yn fa'ma?" ebychodd wrth weld wyneb dieithr. Sychodd ei dwylo yn ei ffedog. "Wel, Arwel?"

Gwridodd Sam mewn embaras llwyr. Dynes y Te! Yr un oedd wedi gwrthod ei gymryd! Tra sglaffiai'r plant y teisennau ac yfed y *Vimto*, gwrandawodd mam Arwel yn astud ar ei mab yn adrodd, rhwng cegiadau, hanes bywyd Sam o'r dechrau i'r diwedd.

"Wel wir!" ebychodd hithau. "Y creadur bach, mae o wedi diodde'n ofnadwy. Rydan ni'n lwcus iawn, yn byw mewn lle fel hyn." Yna ychwanegodd, "Ond os glywa i am un ohonoch chi'n dringo creigiau'r bont 'na unwaith eto, mi geith eich tadau

chi wybod pan ddôn nhw adref ac mi fydd
'na goblyn o le yma!"

Wel, y peth oedd, plediodd Arwel wrth
ei fam, roedd yna ddigonedd o le i Sam yn
y llofft sbâr, 'ndoedd? A byddai'n gwmni
mor ddifyr iddyn nhw ill dau, tra oedd ei
dad i ffwrdd yn yr Awyrlu yn amddiffyn
arfordir y gogledd!

"Gawn ni weld," atebodd ei fam, yn
amlwg yn ailystyried y mater. "Mm, hen
snobs fu'r Morgan-Pughiaid 'na erioed!"

Chwarddodd y criw, a Sam ac Arwel yn fwy na neb.

"Mm," meddai hithau'r eildro, wrth roi mymryn o lipstic ar ei gwefusau o flaen y drych, "mi a' i i weld Mr Edwards yn Llanfair-pwll y funud 'ma, efo fan Morus y Co-op ar ei rownds. Cymerwch ofal, bawb, a chofiwch, dim dringo'r bont! Mi hola i am y peilot hefyd, os byddan nhw'n fodlon dweud." Ac i ffwrdd â hi.

Erbyn iddi ddychwelyd amser cinio â llond bocs o fwyd o dan ei chesail, roedd Sam ac Arwel wrthi'n brysur yn plicio tatws yn y sinc, a'r plant eraill wedi diflannu i'w cartrefi i gael eu cinio hwythau.

"Wel dyna hynna wedi'i setlo," meddai Mrs Jones wrth baratoi'r pryd bwyd. "Mi gaiff Sam aros yma nes iddo fo gael hyd i'w deulu."

"Diolch, Mam!" meddai Arwel wrth iddo fusnesu yn y bocs bwyd.

"A pheth arall," ychwanegodd ei fam, wrth osod plât llawn ar y bwrdd, "mae'r ysgolion ffordd hyn i gyd wedi cau am yr haf rŵan, meddai Mr Edwards, o achos y

78

rhyfel. Biti garw, os 'dach chi'n gofyn i mi!"

"O, Mam!" bloeddiodd y bechgyn gyda'i gilydd, ac yna chwarddodd y tri.

Eisteddent yn gytûn wrth y bwrdd yn mwynhau'r cinio blasus o fecryll, pŷs slwts a sglodion crimp, poeth. Roedd yna gynlluniau mawr ar y gweill, meddai'r hogiau, i weld ffilm *Tarzan* yn y Pictiwrs Bach brynhawn Sadwrn, a'r *Lost Planet* yr wythnos wedyn. Clwb Bocsio bob nos Fawrth yn y neuadd, gwneud ffau yng Nghoed y Cyrnol ddydd Mercher, a lifft efo'r lorri laeth i Lannerch-y-medd ddydd Gwener i'r fferm lle'r oedd Tommy Flint yn aros, i drio'r ferlen.

"Felly'n wir!" meddai hithau'n fodlon, wedi dotio bellach at Sam a'i holl ddoniolwch, ei wallt cyrls a'i gampau. "Wel, mi gadwith hynny chi allan o drwbwl, gobeithio."

"Dwedwch hanes y peilot, Mam," crefodd Arwel.

"-ch-s-y peilot, Mam," ategodd Sam, ar dân i feistroli'r iaith Gymraeg.

Wel, y newyddion oedd, meddai Mrs

Jones yn gyfrinachol, bod awyren o'r Almaen wedi crasio'n wenfflam yn ardal Bethesda, ar lethrau Carnedd Llewelyn.

"Ddeudis di, 'ndo Sam?" torrodd Arwel ar draws y stori.

"A'r peilot?" sibrydodd Sam yn bryderus.

"Mae'r creadur wedi cael ei arestio ac yntau ymhell oddi wrth ei deulu, debyg," atebodd hithau, "'run fath â chdi, 'ngwas i. Beth bynnag, yn 'i barasiwt oedd o—a dylech chi weld y merched yn crafangu am y sidan rhacsiog i wneud nicyrs newydd, meddan nhw! A dyna lle roedd y creadur yn hongian ar ben coeden, a milwyr yr *Home Guard* yn aros amdano fo yn y gwaelod."

"Mam, be ddigwyddith iddo fo rŵan?" mentrodd Arwel.

"Rŵan?" gwatwarodd Sam a'i lygaid fel soseri.

"Wel, cael ei gario yn lorri'r fyddin at heddlu Bangor gafodd o, i gael ei groesholi gan y *Secret Service*, sssh," atebodd hithau wrth agor tun o eirin gwlanog a llefrith *condensed* i bwdin, a llenwi eu powlenni hyd yr ymylon. "Yn ôl y sôn, caiff o ei

80

anfon wedyn i'r gwersyll carcharorion 'na, ym mhen draw Ynys Môn, nes bydd y rhyfel ar ben."

*　*　*

Drwy'r haf, wythnos ar ôl wythnos, gwyliai Sam a'r criw y *Catalinas* yn mynd a dod at Ynys Gaint. Teithiai'r awyrennau ar hyd arfordir y gogledd cyn belled â Lerpwl ac Ynys Manaw, yn gwarchod y wlad rhag y gelyn. Ac o dro i dro gwelai'r plant adar y Fenai yn codi o'u nythod ar y glannau, y crëyr glas a'r wylan benddu, myniar-y-traeth a'r gwyddau gwylltion, yn hidio dim am helyntion y rhyfel.

A buan y dysgodd Sam siarad Cymraeg, gan barablu â hwn a'r llall. Do, fe aethon nhw fwy nag unwaith i weld Tommy Flint yn Llannerch-y-medd, a reidio'r ferlen a chael picnic yn y caeau. Doedd wiw i neb fynd i lan y môr yr adeg honno oherwydd y gwifrennau pigog oedd wedi'u gosod ar hyd y traethau, rhag ofn i'r gelyn lanio.

Disgwyliai Sam bob dydd am newyddion am ei fam a'i dad ac Adeline. Ond ni ddaeth yr un gair o gyfeiriad Lerpwl, na chwaith gan Anti Bet Wrecsam, er holl ymdrechion ei athrawon.

"Hir yw pob ymaros," meddai Mam Jones un noson, wrth iddo swatio yn ei wely diddos yng ngolau'r lamp, o dan bentwr o gomics y *Dandy* a'r *Beano*, a llyfrau *Rupert Bear* a *Teulu Bach Nantoer.*

Un fin nos ym mis Medi, ar derfyn dydd, ac Arwel ac yntau'n meddwl am yr ysgol, oedd ar fin ailagor, gwelodd Sam *Gatalina* newydd sbon yn agosáu o gyfeiriad Lerpwl. Glaniodd ger Ynys Gaint.

Daeth pedwar o bobl allan ohoni. Dyn, dynes a merch fach yn cydio mewn doli glwt, efo swyddog o'r Llynges a'i fotymau'n sgleinio, wrthi'n eu tywys i gwch modur smart a'u gyrru dros y dŵr i'r lan.

"Mam! Dad! Adeline!" bloeddiodd Sam yn groch o'r cei. "'Dach chi wedi dod o'r diwedd! Dwi wedi bod yn aros amdanoch chi ers hydoedd. Sbiwch gymaint dwi wedi tyfu!" a bocsiodd yr awyr fel Joe Louis, Pencampwr y Byd.

Safai ffrindiau Sam o'i gwmpas, yn
falch o'i weld mor hapus. Rhedodd Arwel
i'r tŷ i nôl ei fam a'i gamera i gofio am yr
achlysur am byth, wedi i'r rhyfel fynd
heibio. A'r diwrnod hwnnw, fis Medi 1941,
tyrrodd llu o bobl y Borth i lawr i'r cei i

weld Sam a'i deulu yn cofleidio'i gilydd yn hwyliog, yn holliach, yn fyw.

Daeth hyd yn oed Missus Drws Nesaf a'i phlant i fusnesu, wedi clywed y si trwy'r dref, ac amryw o'r ymgilwyr eraill, a'r athrawon, a Mr a Mrs Morgan-Pugh o bawb!

Trodd y teulu ill pedwar i wynebu'r camera yn hapus.

"Dewch i'r tŷ rŵan," meddai Mam Jones, "allan o'r halibalŵ 'ma. Mae gen i rywbeth arbennig o flasus i swper i chi heno, o'r Co-op. Ac mae ddigon o le i chi i gyd aros yma, tan ddiwedd y rhyfel!"

"Diolch byth!" ategodd teulu Lerpwl gyda'i gilydd.

Mae deunydd dysgu parod ar gael ar *Rhyfel Sam* a llyfrau Corryn eraill yn y gyfrol hon

NOGDRAE

DICK KING-SMITH

ADDASIAD **Emily Huws**